少年经济学院

我也可以财富自由

灰鸽叔叔　著　　油头鸭　绘

北京科学技术出版社

图书在版编目（CIP）数据

我也可以财富自由 / 灰鸽叔叔著；油头鸭绘．— 北京：北京科学技术出版社，2021.11（2023.6 重印）
ISBN 978-7-5714-1710-9

Ⅰ. ①我… Ⅱ. ①灰… ②油… Ⅲ. ①财务管理－少年读物 Ⅳ. ① TS976.15-49

中国版本图书馆 CIP 数据核字（2021）第 148124 号

策划编辑：郑宇芳
责任编辑：郑宇芳
封面设计：杨沐梵
图文制作：曾仲宇
责任印制：吕　越
出 版 人：曾庆宇
出版发行：北京科学技术出版社
社　　址：北京西直门南大街 16 号
邮政编码：100035
电　　话：0086-10-66135495（总编室）
0086-10-66113227（发行部）
网　　址：www.bkydw.cn
印　　刷：北京宝隆世纪印刷有限公司
开　　本：787 mm × 1092 mm　1/16
字　　数：100 千字
印　　张：6.75
版　　次：2021 年 11 月第 1 版
印　　次：2023 年 6 月第 3 次印刷
ISBN 978-7-5714-1710-9

定　　价：49.00 元

真正的财富自由

拥有多少钱才能财富自由？200万元？2000万元？2亿元？

有人觉得拥有2000万元就能实现财富自由，但当他真的拥有2000万元时，他很可能觉得拥有2亿元才算财富自由；可当他拥有2亿元时，他可能觉得要20亿元才算实现财富自由……

财富的增加确实能让人拥有更好的生活条件和更多的选择，但它未必能和自由画上等号。如果你在一线城市生活，你的工资收入确实高，但生活成本相对也很高；而有些财富未必是个人可以自由支配的，例如你名下的需要还房贷的房子、你管理的企业，就算它们的价值上亿元，也无法马上换成钱。

想赚一大笔钱之后逍遥地过日子，往往是小说中才有的情节，经济学知识和专业的财经资讯从来不是为了引发这样的幻想，它们给我们解答了这样的3个问题：我们能挣多少钱？我们还欠多少钱？我们能用多少钱？能把这3个问题想明白，其实就实现了某种程度上的财富自由——我们会有自己独立的思考，会变得更明智，可以看清那些被粉饰过的商业机会、投资风口，甚至那些看似善意的致富建议的真实面貌。

在我们的生活中，很多人都觉得自己的工资低，因为自己的工资低于平均工资，但如果我们都了解统计学中的平均数的意义，心态一定会平和很多。

我们都知道过多地发行货币会引发通货膨胀，但并不是每个人都清楚，适当地多发行货币也是一种不错的经济管理手段。每隔一段时间都会出现的号称能“挣大钱”的方法，“高大上”的有区块链、“接地气”的有摆摊，它们都曾被视为财富自由的风口，那它们到底是不是真的能让人致富？看完这本书你就能明白了。

我们所讲述的财富自由，并不是有钱之后的为所欲为——这是一种不切实际的幻想。我们希望孩子们了解的是一种理性的财富观：不被钱牵着鼻子走，做财富的主人，这才是真正的财富自由。

目录

印钱越多，大家就越富吗？

如果多印一些钱，再把这些钱发给大家，那么人人都是富人，这个世界上就没有穷人了，更没有贫富差距了，这是一个多么美好的世界呀！

“印钱致富”的方法是行不通的！

货币本身没有价值

有一个国家，只有一个国王和两个国民，国民是老王和老李。老王每天能捕 10 斤鱼，平均每天吃 5 斤鱼和 5 斤果子。老李每天能摘 10 斤果子，也是平均每天吃 5 斤鱼和 5 斤果子。他俩都认为 10 斤鱼和 10 斤果子价值相等，但每天交换货物太麻烦了，并且“平均”不代表每天的需求都一样。例如，今天老李只想吃 2 斤鱼，老王今天不打算吃果子，但是明天可能想吃 8 斤果子。怎么办呢？于是，国王就决定发行纸币。这样老王和老李想交换东西时，可以用纸币来替代。多出的纸币就存起来，以后想多买可以多买一点儿。

接下来就出现了一个问题：假设原来印了 200 元的纸币，老王、老李各分 100 元。但是突然有一天，国王觉得老王、老李怎么那么穷，我们多印一点儿钱，再给你们每人 1000 元，请问老王和老李能获得更多的鱼和果子吗？答案显然是不能！因为他俩只能产出 10 斤果子和 10 斤鱼，有再多的钱，他们也买不到更多的产品。所以，印钱解决不了贫富问题。

货币只是一种流通手段

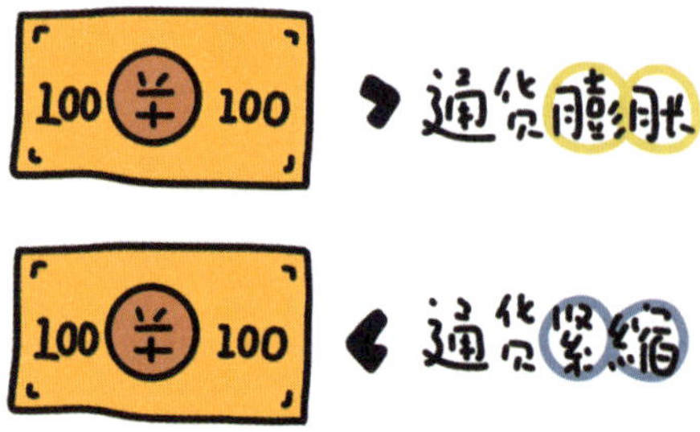

市场上商品流通所需要的货币量就是发行多少货币的依据。货币发行过多，就会导致纸币贬值，买同样的商品就要比原来花更多的钱，这就是通货膨胀。反之，货币发行少了就会造成通货紧缩，商品流通中所需要的货币量不够，“商品足够，但钱不多”，导致货币升值，物价下降。

通货膨胀

通过老王和老李的故事，你大概能了解什么叫通货膨胀了吧？简单来说就是一个国家生产力没有提升，却凭空印了无数的货币，这只会让货币快速贬值。钱“不值钱”，也就是通货膨胀。

例如，委内瑞拉曾经是一个富得流“油”的国家，依靠出口石油换来了不少进口商品。后来，石油价格暴跌，用同样的钱，委内瑞拉能从其他国家换来的商品变少了。怎样才能改变这种现状呢？委内瑞拉政府想了一个法子——大量印钱，送给民众。但是，委内瑞拉国内生产的商品数量并没有增加，而用石油能换来的国外商品急剧减少。民众拿着钱却买不到商品。尽管纸币面值越来越大，却连一包纸巾都买不了。

通货紧缩

相对而言，通货紧缩的现象出现得较少，但一旦出现，产生的经济破坏力则更为巨大。例如，企业开始竞相大幅降价倾销商品，在货币没有增加的情况下，不计成本地大甩卖。表面上看大家似乎都能买到便宜的产品，是一件好事情，但实际上，如果企业长期持续倾销，却无法获取利润，那企业继续生产的意愿就会越来越低，失业率也会越来越高；而失业的增加，则会使人们更倾向于减少消费、囤积货币，最后就会出现既没有人生产，也没有人消费的非常糟糕的情况。

如何正确地印钱？

如果货币印得太多，就会出现前面所说的通货膨胀，大家都不愿意存钱，有了钱之后赶紧兑换成外汇和黄金；如果印得太少，大家都把钱存起来，不愿意消费，那货币的流通作用就没有了。所以，要印多少货币，找的就是一个平衡点：既能让大家愿意消费，又能让大家愿意储蓄。对一个国家来说，要确定最有利的货币供给量，就要找到这个平衡点。

那么，有没有这么一个平衡点，一定是正好不多不少，既不会造成通货膨胀，也不会造成通货紧缩呢？答案是否定的。我们看看物价就知道了，在过去几年，物价每年都会上涨一点儿，家门口的煎饼果子，前年还只卖 3 元，现在已经卖 5 元了。

温和的通货膨胀

在大多数情况下，国家在货币供给方面，都会有一个很小幅的增长，国际上公认的涨幅是 2%。也就是说，今年存下的 100 元，到明年就只能买 98 元的商品了。长时间保持零通货膨胀是一件非常困难的事，而一旦发生通货紧缩，危害也比较大，因此保持温和的通货膨胀是能被大家接受的。而且，温和的通货膨胀可以推动工资上涨，大家会觉得工资在上涨、生活很幸福，从而忘记了物价也在跟着上涨，甚至涨得更多。因此，一部分经济学家认为，温和的通货膨胀是“润滑劳动力市场的车轮”。

经济学随堂笔记

总的来说，决定一个国家富有或贫穷的，不是货币印得多或少，而是一个国家的生产力水平是否一直在提高。

小思考

你觉得应对通货紧缩的最好办法是什么？

为什么大多数人的工资没有平均工资高？

截至 2021 年 7 月 1 日，全国 31 个省份中，上海、北京、广东、天津、江苏、浙江等地月最低工资标准超过 2000 元。其中，上海月最低工资标准为 2590 元，为全国最高。

什么是最低工资?

只要签署劳动合同，正式上班，老板需要发给你的最低劳动报酬就是最低工资。例如，在上海，全职工作、正常劳动的人得到的月薪如果低于 2590 元，那么用人单位或老板就违法了。当然这是税前收入，还要扣除相应的保险，实际到手会少一些。但不管怎样，老板账面上要发的工资，不能低于最低工资。因为各地的经济水平、消费水平不一样，所以，不同省市的最低工资会有所差别。那最低工资标准是怎么确定的呢?

最低工资标准

劳动者在法定工作时间内或依法签订的劳动合同约定的工作时间内，在提供了正常劳动的前提下，用人单位依法应支付的最低劳动报酬就是最低工资标准。

这个标准制定起来其实非常困难。如果标准过低，一些低收入劳动群体的基本生活得不到保障。辛苦了半天，吃不好穿不暖，那肯定不行；但如果标准过高，企业的人力成本增加，企业不敢招人，招人就亏损甚至倒闭，最终吃亏的还是劳动者。所以，每个省市都会根据自己的情况，给出一个具体的数字。你看，这个标准都精确到了十位数。

企业工资指导线制度

企业工资指导线制度是政府对企业工资分配进行宏观调控的一种制度，企业工资指导线由各地人力资源和社会保障部门发布，由基准线、上线和下线构成。简单地说，各地人力资源和社会保障部门会对某个行业某个工种的工资给出建议：基准线就是这个岗位的工资应该是多少，上线就是这个岗位的工资最多可以是多少，下线就是建议最低是多少。企业工资指导线不是强制的，属于指导建议，这实际上是企业和员工协商工资的一个依据。比如一个求职者对月薪的要求是 5 万元，而这行业的工资指导上线是 20000 元，那企业就可以按照这个工资指导上线来和求职者协商；但反过来，如果一家企业总是不涨工资，员工也可以用这个指导线去和领导协商。企业工资指导线展现了行业收入的基本情况，也让各行各业在制定工资标准时有一个参考依据。

平均工资

平均工资，顾名思义，就是某个行业或职位某一个时期内的工资总额除以人数所得出的工资金额。它不同于每一个人的具体工资水平。最低工资标准和企业工资指导线，都是“先给数值，去指导行动”，只有平均工资是“先有行动，然后形成数值”。这个数值反映了用工成本，本身就能为政策提供参考依据，它也是社会保险征缴的重要依据。

很多人的工资低于平均工资的原因

首先，这是因为平均工资反映的是税前工资。大家对工资收入的感觉往往是来自扣税后拿到手的工资，但统计部门统计的工资是税前工资。其次，财富的平均值，往往是正偏态分布。正偏态分布的意思就是——大多数人达不到平均值的状态。

经济学随堂笔记

不偏态的平均值就是有人每小时工资是90元，有人是80元，有人是70元，然后这些人的平均时薪就是80元。正偏态，就是有人每小时工资是140元，然后其余两个人是50元，平均也是80元。反之，就是负偏态。财富是有集聚效应的，虽然会有税收、资源倾斜等手段来缩小贫富差距，但总体来说，有钱人或者利润高的行业会一下子把平均值拉上去。大多数人达不到平均值的原因，是有人高于平均值太多。平均工资呈现正偏态分布，所以大多数人会觉得“被平均”。

小思考

观察一下，生活中还有哪些地方会出现正偏态分布的现象？

身家上亿真的意味着财务自由吗？

亚马逊公司的创始人贝索斯的身家在 2000 亿美元以上，成为全球首位净资产超过 2000 亿美元的富豪。

哇，他的钱几辈子都花不完了。

持有公司股份的员工，一旦公司上市，这些员工瞬间就拥有了几百万元甚至几千万元，这一下子就实现财务自由了吧？

什么是身家？

一个人所有的资产就是一个人的身家。一个人身家上亿，就是说他的房子、车子、股票、存款、现金等所有资产加起来价值过亿。存款上亿，就是一个人的银行存款和手中的现金加起来超过一亿元了，意味着他随时都能拿出上亿元的钱。所以，身家上亿的人不一定存款上亿，但存款上亿的人肯定身家上亿。

身家并不是固定不变的

如果今天你和你的朋友手上的股票都价值一亿元，你的朋友卖出股票得到了现金，而你继续持有股票。第二天，你的股票价格跌了，只能卖 5 千万元。而你的朋友手里仍有一亿元现金。你的身家就比他的少了。而不管是首富、企业老总，还是持股员工，他们的身家都是基于他们拥有的资产的价格计算得出的。如果我是一家公司的老板，我持有这家公司 50% 的股票，如果股票价格跌了，那我的身家就降了。

如果企业运营状况特别糟糕，股票价格一直下跌，最终企业退市了，甚至还欠银行钱，那我就负债累累了。

那我就趁股票资产价值最高时，把股票都抛出，把现金留在手里不就好了，身家就稳定了。

是的，很多股东也是这么想的。但这件事情哪有那么简单？你想想，如果你是一家企业的大股东，你发现自己的股票涨势不错，就把持有的股份全卖了，那投资者又会怎么想呢？

大家肯定会觉得你是打算把公司卖了。既然老板都觉得这个股价高了，那这个公司也就没有投资的价值了。大家肯定会争相卖出股票，股价很快就会一落千丈。你会发现自己的股票根本卖不出去，因为没人买了，你的身家也跟着一落千丈。

那我偷偷卖不行吗？

还真不行。为了保护投资者的权益，同时鼓励企业做大做强，把眼光放长远一些，世界上任何一个证券交易所都对企业的大股东减持——卖自己的股票有严格的规定。

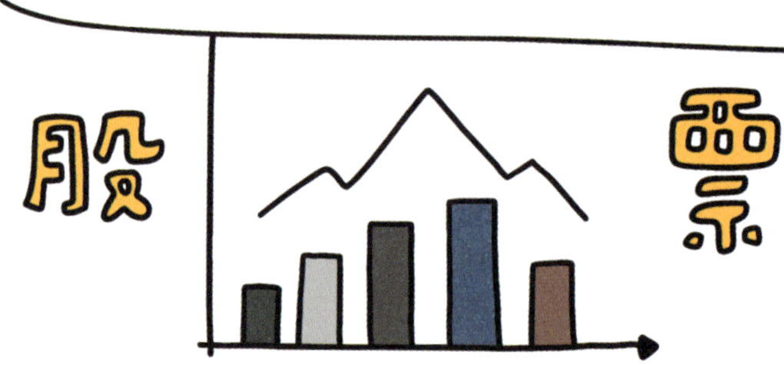

卖出股票的限制

首先，对企业来说，有一部分股票是不能上市交易的。例如，在企业上市后的前 3 年，可以在股市交易的股票份额只占企业全部股份的一部分，另一部分是无法上市交易的。即便过了一定的年限，也并不是股东持有的所有股票都能在股市自由交易，大股东在进行股票交易时，会受到严格的约束，并且卖出时需要向公众告知。

其次，对大股东来说，卖出股票是有严格规定的。如果你是大股东，觉得现在股价高，要把股票都卖掉——不行！因为证券交易所规定，你第一年只能卖你所拥有的股份的 5%；第二年，还是只能卖 5%，因为你是公司的大股东、决策者，你个人对公司发展的影响是很大的，不能随便卖股票。所以，股票其实是不能全部顺顺利利地变成现金的。

最后，几乎全世界所有的证券市场都规定，持股达到一定比例的股东如果要减持，也就是卖掉手里的股票，需要公告和预告。如果你是一家公司持股 5% 以上的股东，你想把股票变成现金，就需要提前告诉大家“我要卖股票了”。这样预告了之后，会发生什么？正常情况下，别人一看有大股东减持了，那说明他觉得现在股价是高位，我也赶紧卖出吧，于是股价就会下跌，你的身家自然也就下降了。

所以，身家尤其是包含股票、基金等在内的身家，看起来很吓人，但股票要变成钱，并没有那么容易。像贝索斯的身家，也和前段时间美股的走势有关，一会儿多几百亿，一会儿缩水几百亿，都是很常见的，但他本人根本没办法把股票全部变成现金。

因为各项规定和章程限制了他卖股票的比例。而且，就算他卖了股票，其他投资者也会跟风抛售，从而导致公司股价下跌。

经济学随堂笔记

身家过亿并不代表他真的有一亿元的现金可以用，只是证明他的资产有这个价值。要把资产变成现金，有门槛、有规定。当然，身家过亿也意味着更多的可能性，比如你持有的股票上涨，你的公司被高价收购，都会让你的身家呈几何级数增长；而存款过亿的人，身家的增长主要来自利息。对我们普通人来说，这两件事情都比较遥远。加上房子，你爸爸妈妈的身家可能有几百万元，但房子是用来住的，也不能变现。存款则需要靠努力工作一点点赚出来。

小思考？

你对身家这个概念怎么看？你对自己的未来有什么规划吗？

电子竞技员可以成为游戏爱好者的职业选择吗？

2019 年 4 月 1 日，人力资源和社会保障部、国家市场监督管理总局、国家统计局正式向社会发布了 13 个新职业信息。这次发布的新职业中，大部分与当下新兴的技术有关，比如人工智能工程技术人员、云计算工程技术人员、物联网工程技术人员等。其中，有一个职业很有意思，叫电子竞技员。

哇，太好了，打游戏也能打出一份工作来了！

你看，以前大家都叫我们“网瘾少年”，现在我们摇身一变成为电子竞技员了。

电子竞技还有世界级的比赛，并进入了亚运会的比赛项目，它不仅成了一个正规职业，还能为国争光。

成为电子竞技员真的是游戏爱好者的职业选择吗？

电子竞技职业化

电子竞技作为一项正式的体育赛事，行业趋于规范化管理，参赛者属于运动员，而不是玩电子游戏的爱好者、玩家。与普通玩家的娱乐活动不同，电子竞技是通过电子游戏达到“竞技”层面的活动，是利用电子设备作为运动器械进行的人与人之间的智力对抗运动。它对参赛者的思维能力，反应能力，心、眼、四肢协调能力和意志力有非常高的要求。电子竞技员是一份职业，日常训练、参加比赛、通过比赛成绩获得更高的工资以及转会身价就是他们的工作内容和职业目标。

职业门槛

与传统体育项目的运动员一样，电子竞技员也不是所有人都能做的。这就如同很多人喜欢打篮球，但不是每个人都能进 NBA（美国男子职业篮球联赛）一样。

天赋与年龄

在选拔队员时，竞技水平是一个基础考核指标，另外还要看队员的身体状况、团队协作能力等。简单来说，想要成为电子竞技员，除了要有天赋，还要刻苦训练。从目前的各大赛事中不难看出，活跃在赛场上的电竞选手大都是 20 岁左右的青少年。很多有天赋的选手从十六七岁就开始了职业生涯，低龄化是这个行业越来越明显的趋势，25 岁已经算是大龄选手。

因为选手的操作水平往往受身体素质的影响，而身体素质又跟年龄相关。例如，对职业选手来说很重要的一项素质指标是手速（每分钟操作鼠标键盘的次数）。我们在看比赛时会发现，职业选手的手速远超普通人，而随着年龄的增加，人的反应速度会越来越慢；精神与身体长期处于高压状态，状态较差的选手就会面临淘汰。

而与其他竞技运动相比，电竞职业选手的职业黄金期一般不会超过 10 年，大部分电竞职业选手会选择在二十三四岁时退役。

训练与收入

篮球爱好者在篮球场上投篮，觉得很尽兴，但并不代表他们能够成为职业篮球运动员，靠打篮球赚钱。那些以此为职业的人，每天都得拿着球训练，并且面临随时可能受伤的风险。

电子竞技员也一样，他们的工作不是玩游戏那么简单轻松，他们每天的训练都在 10 小时以上，训练技术、研究战术、复盘比赛，休息的时间非常短。正如有些电子竞技职业选手所说：“玩游戏是享受，职业电竞训练是折磨。”更关键的是，从电竞行业中能挣到钱的人并不多，更多的人还未踏入行业门槛就被淘汰了。

经济学随堂笔记

电子竞技是一个 20% 的人能获得 80% 的鲜花和掌声的残酷行业。如果盲目从事这一行业，可能非但不能取得成功，反而影响学习和生活，还可能变成人们眼中的“网瘾少年”。所以，电竞职业的官方认可并不能成为青少年“苦练”游戏的借口。

小思考？

你对电子竞技员这个职业怎么看？还有哪些职业你觉得是和电子竞技员类似的？

经济补偿金中的N+1是什么意思？

为什么企业一定要诱导甚至逼迫员工主动辞职，这和直接裁员的差别难道很大吗？

N+1 究竟是指什么？

上班族或多或少都面临着失业的风险，不同的失业方式，最后的处理结果完全不一样吗？

主动辞职

有人或许认为主动辞职没什么不好，被裁员听上去有点儿丢人。但是，对一个员工来说，丢不丢人并不是首先应该考虑的问题。被裁员和考试成绩不及格不是一回事儿，这并没什么可丢人的，这里可能涉及工作能力的问题，也可能是企业的经营状况出了问题。员工首先要考虑的是如何维护自己的合法权益。如果主动辞职，那就不是企业的原因，而是员工的原因，企业就完全不需要进行补偿了。

为什么要补偿?

只要员工不是主动辞职；没有严重失职，营私舞弊，给用人单位造成重大损失；没有违反公司重大制度，不能证明试用期不合格；也没有依法被追究刑事责任，企业要和员工解除劳动合同，基本上都要进行补偿。

经济补偿的核心是维护劳动者的合法权益。找工作需要时间，如果一个人处于零收入的状态，生活肯定成问题，并且年纪越大，找工作就越难。怎么办呢？企业如果是主动裁员，那就要给予员工一定的补偿，不能让人一下子失去生活来源，要有一个缓冲的余地；但补偿太多，肯定也不行。企业生存的基础就是能够盈利。如果企业担心补偿太多，不敢辞退不符合企业发展需要的员工，最后生存不下去，就会导致更多的人失业，那情况就更糟糕。

所以，法律做出了规定，就是大家熟悉的N+1，其实还有N+2、2N等，但大家可能听得最多的就是N+1的补偿标准。

N是指什么？

《劳动合同法》第四十七条规定：经济补偿按劳动者在本单位工作的年限，每满一年支付一个月工资的标准向劳动者支付。六个月以上不满一年的，按一年计算；不满六个月的，向劳动者支付半个月工资的经济补偿。也就是说，工作时间越久，工龄越长，这个N的数值就越大。例如，某人在一个公司工作了10年，没有犯过错误。那么，这个公司辞退他时，经济补偿中的 N 就是 10 个月工资。

年纪大的人遇到裁员，再找工作往往更难，经济压力也更大，所以经济补偿金是按照员工的工龄来设定的。因此，不少互联网企业在辞退老员工时，压力很大。员工职位很高，薪酬也不低，但发挥的作用好像越来越小。企业辞退员工，经济补偿金又很高。于是，一些企业就会采取诱导员工主动辞职的做法，以免于支付高额补偿金。

“1”是什么？

“1”是指“代替通知”。用人单位在辞退员工时通常有两个选择：一是提前 30 天通知员工：“你要被裁了”，这种情况就不用多付一个月的工资了；一是不提前通知，多支付一个月的工资，就是用钱来代替通知的意思。

为什么在实际操作中，都有这个 1 呢？因为如果真的提前 30 天通知员工了，会发生什么呢？剩下的这一个月，被辞退的员工还有心思工作吗？很可能没有，还耽误工作交接，影响工作氛围。既然如此，用人单位干脆多支付一个月工资，不要让员工去做 30 天低效率的工作。

维权的必要性

在合理情况下，出现的经济补偿方式就是N+1。这也是经过实践验证后，相对合理的一个结果。

但“合理”不代表双方都“接受”，尤其是企业一方。裁员可能意味着企业经营状况出现了问题，于是企业就会想办法规避经济补偿。如果劳动者不懂得拿起法律武器坚决维权，不懂得如何取证，就会很吃亏。

相对来说，在规避经济补偿上，企业还是处于强势地位。例如，把员工换到一个不适合他的工作岗位，没有造成员工实际失业，但是员工主动提出辞职的意愿就会增强，得到额外补偿的可能性就会小一些。

经济学随堂笔记

失去工作，并不是什么丢人的事情。很多人都不是一份工作一直做到退休的。维护好自己的合法权益，找到自己的新坐标，重新出发，这才是对待自己的职业规划的正确态度。

小思考？

你身边有大人在这两年失去工作吗？他们是怎么重新出发的呢？

怎样的消费是合理的？

要合理消费、理性消费，不要冲动消费。
怎样才算合理消费呢？我们挣钱不就是为了花出去吗？
如果我怎么花压岁钱都要听爸爸妈妈的，那和把钱给爸爸妈妈又有什么区别呢？
怎样才能成为一个懂得合理消费的人呢？
不乱花钱就是合理消费。
买书就是合理消费，买游戏机就是不合理消费……
爸爸，你买了一根那么贵的钓竿，就是不合理消费！
妈妈，你买了一个那么贵的名牌包，也是不合理消费！

合理消费和不合理消费

有一句话我们经常听到：“花这个冤枉钱做什么！”然后，你会发现一件有趣的事情：对于“冤枉钱”的看法，每个人都不一样。

其实，判断哪些消费属于合理消费，有着较为清晰的标准。

首先，满足基本生活需求以外的消费，也并不完全是不合理消费。在生活中，有些人认为基本生活需求以外的消费都是不合理消费，都是“没必要”的消费：没必要买新衣服，因为旧衣服还能穿；没必要买新手机，因为旧手机还可以用……

节俭当然是良好的品质，但那些让我们获得快乐、满足感的支出，不花这笔

钱也能活下去的支出，同样是合理消费的组成部分。事实上，正是因为有了这样的消费，才会有更多的行业、更多的岗位，社会经济才能活跃起来。

每个人都有权利去追求更快乐、更美好的生活，我们去折扣店里买打折的物品，不代表消费合理；去大商场里买正价商品，也不代表消费不合理。贵不贵，甚至是不是实用，并不是判断合理消费的首要标准。

其次，导致基本生活无法维系的消费，才属于不合理消费。也就是说，如果这笔钱花出去，就会对我们的基本生活产生负面影响，正常的吃穿住行都无法保证，那这笔消费就是不合理的。

例如，两个人都看中了一款汽车。一个人买了车，日常生活不会受到太大影响；而另一个人买车不但需要借钱，可能连下个月的水电费都交不了了。那对第二个人来说，买这辆车就属于不合理消费。他必须调整自己的购车计划，把消费控制在自己能承受的范围内。

你看，对每个人来说，合理消费的具体定义可能都不一样；在不同时间段里，对合理消费的定义也会不一样。

所以，千万不要拿“别人能花这个钱，我也能花”作为理由——它从来不在合理消费的定义里。

如何做到合理消费？

那些能挣会花的人总是让人羡慕。这里的“会花”，并不是挥霍无度，而是花钱恰到好处。

这个度的拿捏是一门大学问。过于节俭，可能会显得抠门，也委屈了自己；花钱大手大脚，不仅铺张浪费，也可能会影响未来的生活。

“铺张”这件事情还是很有诱惑力的：诱导我们消费的广告随处可见，不少商家会推出各种各样的优惠活动，让人忍不住买了一大堆根本用不到的东西；有些借款平台会鼓励人们借款消费——“先享受起来”。

有两个好习惯可以帮助大家合理消费。

一个好习惯是提前做好计划，在企业里这被称为“预算”。我们要很清楚地知道每个月的必要支出，把这部分钱预留好。家里水电气的费用、手机通信费、日常吃饭的费用、房贷（房租）……这些消费都属于“生活刚需”，在正常情况下是不应该靠“借”来维持的，一定要留有足够的钱。

另一个好习惯就是记账。把每笔消费都记录下来。很多人会陷入消费误区，比如觉得 100 元的东西贵，不舍得买；但看见 10 元的东西觉得便宜，零零碎碎买了一大堆，还用不上，导致支出更大。如果养成记账的习惯，算一下购买的小东西的总费用，这样的冲动就会降低许多。

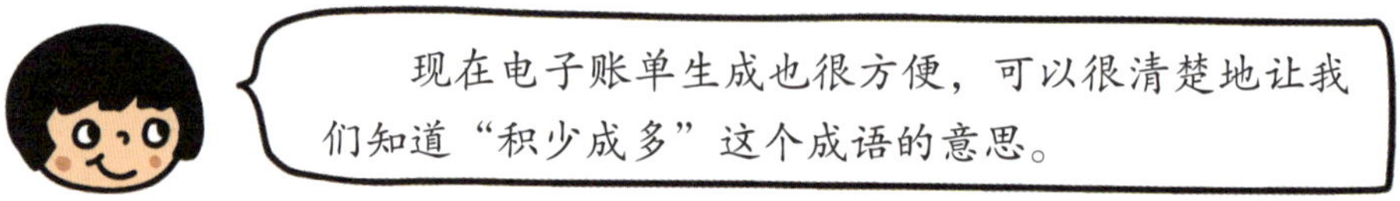

知道自己有多少钱，知道自己必须花多少钱，知道自己已经花了多少钱，牢记这“三个知道”，就抓住了合理消费的关键。

经济学随堂笔记

合理消费的核心并不在于花多少钱，而在于它是否量力而行，是否会影响基本生活。每个人合理消费的标准可能是不一样的，一个人在不同阶段面临的合理消费的标准也各不相同。对于某个人而言合理的消费，对于另一个人可能就是不合理的。所以，不要把“别人买了”或者“别人都不买”作为自己的判断标准。如果影响到基本生活了，哪怕这笔开支再小，也是不合理的。

提前做好计划和事后记账，有助于我们培养良好的消费习惯。哪怕是青少年，也可以从自己的压岁钱、零花钱做起，做到每一笔支出都能心中有数。

小思考？

从现在开始，把你花的每一笔钱都记录下来吧！看一看你一个月的花费是多少？

银行是干什么的？

我们都知道银行可以存钱和取钱，但其实银行的作用不止如此。

银行可以作为调节货币流通的工具，国家通过银行对现代货币体系进行管理和调控。

对普通人来说，银行也是一个工具，它不仅可以保管人们的财产，还能使人们获得收益并提供融资渠道。这也意味着银行保管着我们的隐私，包括我们的个人信息和各类金融交易信息。

那银行会不会泄露客户的相关信息呢？

现代银行的出现

西方部分学者认为银行的出现，是因为人们需要储存自己的黄金。在没有银行的时候，人们有余钱的话，除了囤在自己家里，还可以存到国王的铸币厂里打造成金币。但后来战争发生了，人们发现国王可以随意动用铸币厂里的黄金。于是，人们就开始把黄金储存在自己认识的金匠那里，金匠打造金币的同时可以负责保管金子，同时收取一定的保管费。久而久之，金匠发现储存的金子总有一部分是一直不会被取走的，他可以借贷出去以获得利息收入，这就出现了银行的雏形。直到今天，储蓄和借贷依旧是银行最重要的功能之一。

我国银行的分类

按照类型来划分，中国的银行大致可分为 3 种。

中央银行

负责发行本国货币，并且要保证币值稳定。货币发行过少，会造成通货紧缩，人们没有足够的钱消费；货币发行过多，会造成货币贬值，引发通货膨胀，钱“不值钱”。同时还负责制定国家货币政策，对经济进行宏观调控，并且给政府提供贷款。

政策性银行

不以营利为目的，主要为了配合政府的经济政策，帮助政府发展经济和进行宏观经济管理。中国有一些政策性银行：中国进出口银行、中国农业发展银行和国家开发银行等。

商业银行

在我们的日常生活中，大家接触得最多的银行就是商业银行。商业银行一般负责储蓄、借贷、汇兑等业务，其中最主要的业务是储蓄和借贷。中国商业银行大致可以分为国有商业银行、全国性股份制商业银行、邮政储蓄银行、城市商业银行、农村商业银行、外资银行、村镇银行等。简单来说，我们也可以把商业银行分为全国性的和地方性的，我们熟悉的中国工商银行、中国农业银行、中国建设银行等，就是全国性银行；而以属地名称命名的银行大多属于地方性银行，例如北京银行、上海银行等。

为什么会有这么多不同的银行？

对于商业银行来说，各家商业银行业务特色不一样，有着不同的优势，同样不同商业银行之间也存在竞争关系。而对于用户来说，银行越多，用户的选择就越多，金融市场也会更活跃。

有了竞争，大家就会有更强的改革意愿和创新动力，也会更在意用户的利益。就像中国移动、中国联通和中国电信这 3 家公司，它们在业务上没有差别，但是为了获得客户，就会有各种促销或优惠活动，这就为消费者提供了更多的选择，同时迫使企业做出改变。

因为中国各地的经济发展不同，需要的扶持政策也不一致。全国性银行业务繁多，很难去为每个城市制定不同的策略，兼顾一些精细化的需求，因此地方性银行就应运而生。

渐渐地，有些地方性银行因为做得好，开始走向全国。大家可能觉得，它们都是银行，业务类似，都能存取款，都卖理财产品，也都办理贷款。但仔细想想，它们还都有细微的差别。例如，你去餐厅吃饭，会发现刷某个银行的银行卡付款可以享受 8 折优惠；你去购买机票，会发现持有某个银行的银行卡可以成为某个航空公司的联名会员；你去买理财产品，如果仔细比较，就会发现某个银行的理财新产品收益会高一点儿。

个人账户信息

在银行业，泄露商业秘密和客户的重要信息，被列为与受贿、挪用资金同等级别的违规行为。不管是哪一家银行，都严禁泄露客户信息。如果被客户起诉，相关责任人要承担法律责任，还会被处罚金，严重的甚至会被终身禁止从事银行业。银行也会受到中国银行保险监督管理委员会（简称银保监会）的处罚。

所以，大家可以放心，我们在银行卡里的交易信息，在正常情况下，除了我们自己，任何人都没有权利去获取。一旦发现信息泄露，我们可以采取法律手段保护自己的合法权益。

合法调取信息的情况

依照法律规定，只有在以下几种情况下，银行出具客户交易信息是合法的。

第一，客户本人或其委托代理人凭借相关手续进行调取，也就是说本人或本人委托的代理人是可以调取的。

第二，司法人员持调查手续调取。涉及司法案件的，银行必须配合。

第三，律师因案情需要，向法官申请查询。

另外，对银行来说，如果擅自向他人提供客户的银行交易信息，就违反了《中华人民共和国商业银行法》，相关责任人需要承担相应民事、行政责任；情节严重的，还需要承担刑事责任。《中华人民共和国刑法修正案（九）》中明确规定：违反国家有关规定，向他人出售或者提供公民个人信息，情节严重的，处三年以下有期徒刑或者拘役，并处或者单处罚金；情节特别严重的，处三年以上七年以下有期徒刑，并处罚金。

经济学随堂笔记

银行有保护客户个人信息和隐私的义务。一旦发现自己的信息被银行泄露，个人有权拿起法律武器保护自己的权益。

小思考？

你觉得在各银行之间，客户信息可以共享吗？为什么？

降息会改变什么？

2019 年，美国联邦储备系统（简称美联储）宣布降息 25 个基点，将联邦基金利率目标区间下调至 2%~2.25%，这是美联储史上首次在美国失业率低于 4% 的情况下降息，也是美国自 2008 年 12 月 16 日后首次降息。十多年来，美国又一次开启了降息通道。

降息带来的影响

降息的核心就是降低利率。存款的利率降低了，贷款的利率也降低了。也就是说，我们把钱存在银行里，能赚的利息变少了；但同时向银行借钱，要还的利息也少了。更直接点儿说，就是人们存钱的意愿降低了，但花钱、投资的意愿会增加。所以，降息最直接的后果就是存在银行里的钱少了，在社会上流动的钱多了。大家更愿意花钱，更愿意进行投资，企业也更愿意贷款，这样经济就会逐渐活跃起来。

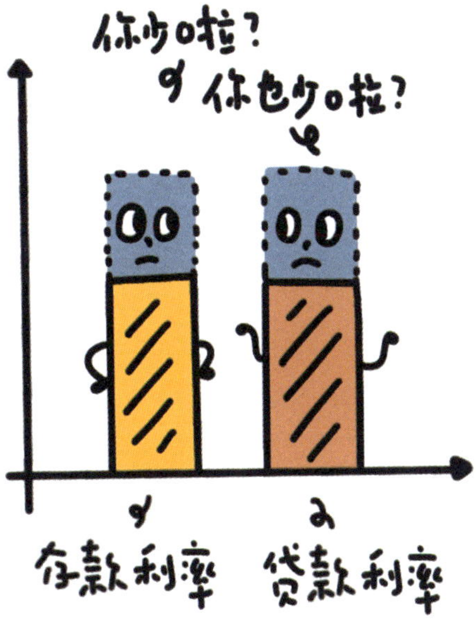

降息的逻辑

通过降息，大家就会更愿意花钱了。原本一些经营策略比较保守的企业、个人，就会变得积极起来。原来可能有些人觉得，把钱存在银行，赚一些利息也不错，现在一看利息变少了，而借钱的代价小了，想法就会发生变化。有些企业原本还债的压力很大，降息后，压力就减小了，扩大再生产、进行研发的意愿就会更强烈。

银行一直加息的影响

现在，世界上许多国家之间，都处于一种高度竞争的态势。如果本国国民追求安稳的生活，觉得小日子过得挺好，把钱存在银行，赚利息过日子，不愿意购买大件商品，企业也不愿意扩大再生产，那么企业的市场竞争力就会逐渐下降。如果银行一直加息，大家更愿意把钱存在银行，国库里的钱就多了，但这会带来两个问题：一是企业向银行贷款需要支付的利息上涨，企业不敢向银行借钱，可能有些市场机遇就错过了；二是国债收益率上涨，将来国家需要支付更多的利息。

现在，整个世界经济增长乏力，包括今天的美联储在内，2019 年初至 2020 年底全球已有 22 个国家宣布降息，其中印度央行和牙买加央行在 2019 年到 2020 年之间已连续 3 次降息，土耳其央行降息幅度最大。

为什么不一直降息？

虽然降息可以刺激消费，但具体人们怎么消费，并没办法规定。例如，中国几次降息后，受益最大的是房地产行业，大家都去买房、炒房，房价水涨船高，并没有让经济整体活跃起来，反而导致有些企业没有把贷款用于研发和生产，而是用于囤积房地产，形成了房地产领域的通货膨胀。因此，降息和激发经济活力并不能完全画等号。中国经常会进行定向降准和定向降息，比如你必须要将钱用于某一个行业，才能得到更低的贷款利率。

降准指降低存款准备金率。降准会使商业银行等上交央行的准备金减少，所以这些银行有更多可自由支配的资金，用于放贷、投资的资金会增多，可以刺激实体经济的发展。

存款准备金是指金融机构为保证客户提取存款和资金清算需要而准备的，缴存在中央银行的存款。存款准备金占银行存款总额的比例就是存款准备金率。

假设降息降到底，利息为 0，那会出现一个极端情况：没人往银行存钱了。银行没钱，自然也就没办法放贷了。如果央行印钱放贷，那肯定会引起通货膨胀。所以，降息也要有一个限度，如果动辄变成负利率，向银行借钱也不用利息，就会出现更多“盲目借钱”的情况。另外，如果人们因为利息太低不愿意储蓄，而是把钱投资在高风险产品上或者花掉了，那能随时能拿出来应急的钱就少了，一旦遇到意外情况，比如疾病灾害等，就无法完成自救。因此，合理的“正利息”依然是国家进行经济调控的主要手段之一。

0利息

经济学随堂笔记

经济过冷不行，过热也不行，加息就是一个抑制经济过热的方法，让大家借钱更谨慎，更愿意存钱，少做投资。所以，不论是降息还是加息，都没有绝对的对错之分，都是各国根据当前的经济形势做出的判断。而当下，对于美国以及许多国家正是一个需要给经济“加热”的时刻。

小思考？

做一个小调查看看你周围的人会因为降息把钱从银行拿出来吗？

如果银行破产了，我的存款是不是就没了？

在很多人的观念里，银行是不会破产的。但 2020 年包商银行破产的新闻让人大跌眼镜。

银行也会破产吗？

和普通企业一样，银行如果经营不善，也会面临破产风险。它破产的原因并不复杂：银行以较低的利息吸引储户把钱存入银行，再以较高的利息贷出去，这中间的利息差，就是银行的利润来源之一；一旦银行无法收回贷出的钱，储户的存款取不出来，就可能面临破产危机。

所以，一般银行对“谁来借钱”有着严格的审批流程。但有些小银行，为了更好地周转资金，往往会出台一些贷款优惠措施：利率低一些，贷款条件宽松

一些，虽然来贷款的人可能会增多，但银行的风险也会随之增加。如果这些风险没有得到很好地控制，那银行就会因为经营不善而破产。

包商银行贷给自己的大股东明天集团1500多亿元，这笔钱全部成了不良贷款，直接导致了它的倒闭，最终由中国人民银行、银保监会实行联合接管。

可能国家把这笔钱补上了吧？

如果国家不管，存款就没了！

真的是这样吗？

存款和贷款会消失吗？

大家普遍有一种错误的清零理论——某家银行破产后，存进该银行的存款没了，欠银行的贷款也不用还了。所以，向银行贷款的人就盼着银行破产，认为这样就可以逃避债务。其实，这是不正确的。

先说贷款，也就是“你欠银行的钱”。银行破产后，你的债务并不会一笔勾销。你欠银行的钱其实是破产银行待清算资产的一部分，

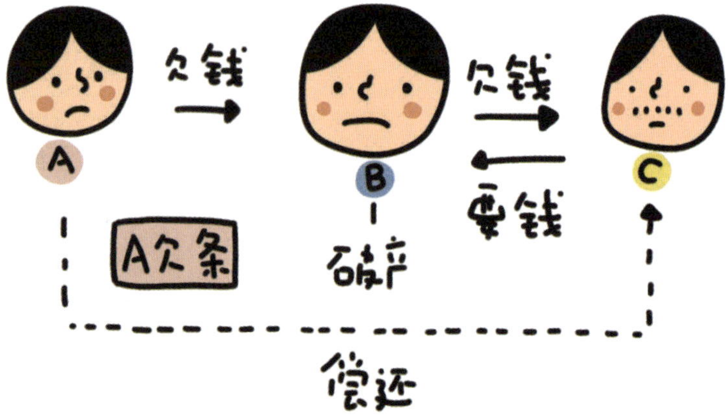

在对破产银行进行清算时，这笔资产就会被转移给债权人，也就是打算“接盘”的新主人，如果没人“接盘”，法院也会依法开展还款征信等一系列举措。

所以，在正常情况下，你欠银行的钱并不会清零或者减少，只是债主改变了。

再说存款，也就是“银行欠你的钱”。银行破产后，理论上确实存在着“存款减少甚至没有”的风险——按照市场的做法，需要由破产管理人做资产清算和追索，然后再把收回来的部分钱还给储户，但这需要耗费大量时间，而且还会有难以追索的部分。最后，可能你存了100元，但5年之后，千辛万苦只要回了50元。

2015年，我国开始实施《存款保险条例》，给存款安全加了一把锁。银行在接收存款时，会缴纳一笔存款保险费。如果银行发生经营危机或面临破产倒闭时，保险机构将向储户支付部分或全部存款，从而保护存款人的利益。

这种对存款的保险，实际上形成了一种“三赢”的局面。

对存款人来说，心里更有底了，并且这笔保险费是银行交的。

对银行来说，更能取得存款人的信任。

对保险机构来说，在绝大多数情况下银行是不会倒闭的，这些保险费用就是一个巨大的资金池。事实上为了规避风险，保险机构还做了不同的比例设定：存款多，银行要交的保险费就多；贷款项目风险大，银行要交的保险费就多。

有了存款保险，哪怕是银行破产，存款人的资金也能获得保障——保险机构最高偿付限额为人民币 50 万元，即同一存款人在同一家银行所有存款账户的本金和利息加起来在 50 万元以内的，全额赔付。根据测算，50 万元的限额可以覆盖 99.63% 的储户的全部存款。这意味着，绝大多数人的存款能够得到全额保障。所以，银行破产之后，“你欠银行的钱”会转移给新的债主，并不会清零；“银行欠你的钱”有保险托底，50 万元以内不会有风险。

如果存款大于 50 万元，50 万元以上的部分是不是就没了？

不会。但赔付会麻烦一些。

银行破产后，资产被清算、拍卖后的那部分资金，也会有一部分用于偿还给储户等。

《存款保险条例》在银行破产情况下只对储户的存款起保护作用，如果是债券、基金、保险、信托等理财产品出现兑付危机或资金亏损，存款保险起不到保护作用。

看来 50 万元以内的存款确实无风险。

经济学随堂笔记

如果很有钱，将所有的钱分成几个 50 万元，分别存在不同的银行，是不是好的避险方式？理论上确实是，但也会带来新的问题。在大多数银行，100 万元以上的本金的利率更高，但放在两个不同银行的 50 万元却不是这样。而且，银行破产的概率相当低。如果仅仅为了“避险”而拆分自己的大额资金，很可能就错失了更好的获利机会。

风险和利益始终是对等的。如果过于强调“零风险”，那势必会面临“低收益”。

小思考

如果你家有100万元存款，让你来做一个风险和收益相对平衡的分配，你会怎么分配呢？

家里需要储备一点儿黄金吗？

黄金价格不会有太大波动，是一类较为稳定的资产，一直是全世界公认的避险资产。

为什么单单黄金会成为避险资产呢？白银、翡翠也都是稀有资源，难道它们就不能避险吗？

2019 年，黄金价格大涨，受其影响，黄金板块股票价格也纷纷上涨，不久之后又暴跌。那黄金还是我们心中的避险资产吗？家里需要储备一点儿吗？

黄金的属性

从自然属性来看，黄金稀少、性质稳定，储存方便。相对来说，白银的储存要求就会高一些，储存不好就会发黑。从含量上来说，翡翠等玉石就复杂多了，且不说产区比较集中，只有几个国家和地区产量多，而且种类太复杂，造假率高，很难得到全世界的认可，更别说用来交换了。而黄金则简单多了，含量容易测定，也极易辨别真伪。黄金的产量也相对稳定、不会受到国家经济决策的影响——国家想要拼命印钱是可以的，但想要拼命生产黄金，则完全不可能。

2019—2020 年黄金价格大涨的原因

全球经济下行

全球范围内的经济下行以及新冠肺炎疫情的影响，让黄金的“避险价值”在这段时期内得到了重视。2019 年，世界各国的贸易摩擦加剧，如土耳其、阿根廷等多个国家都出现了经济动荡，让人们对未来产生了担忧；正当人们试图摆脱悲观情绪时，2019 年底，新冠肺炎疫情出现，并且在 2020 年蔓延全球，

进一步推动了黄金作为避险资产的需求。此后，为了刺激投资和消费，各个国家都采取了相对宽松的货币政策。钱多了，物价就会上涨，当然也包括了黄金的价格。

美元指数持续走低

通常来说，黄金价格走势与美元指数有一个“跷跷板效应”，一个上涨，另一个就会下跌。这是因为黄金和美元在国际上结算比较方便，不少专业投资者不是储备美元，就是储备黄金。当时美国正在大量印美元，美元贬值，大家储备美元就不划算了，所以储备黄金的人多了，黄金价格就会上涨。

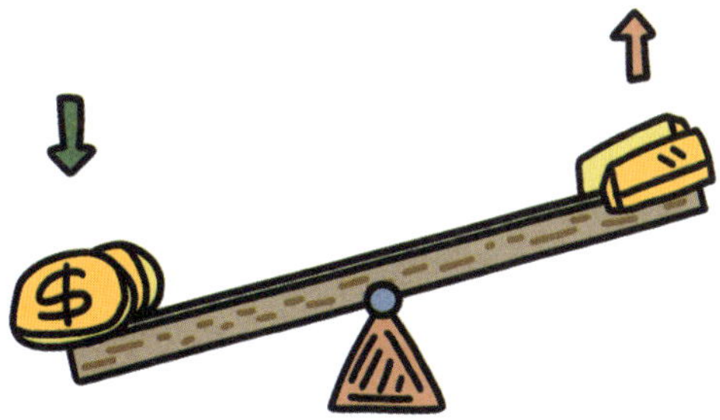

跷跷板效应

对通货膨胀的预期

投资者们认为各个国家还会继续印钱刺激经济，银行的利率可能更低，于是不断买入黄金。投资者的大量购买也导致了黄金价格的一直上涨。

黄金的避险功能

抛开 2019 年黄金价格大涨的特殊因素，从常规来看，为什么黄金的避险功能会让大家这么信任呢？

作为避险资产，黄金和其他资产类别之间的联系特别弱。从理论上来说，当经济遇到巨大风险时，黄金受到的影响没那么大，所以大家会储备黄金，从而导致金价上涨；但反之，当市场变好，利率上行的时候，黄金价格也不会有太大变化。

假设现在黄金的价格是 100 元 / 克，100 元能买到 50 个面包，即一克黄金能买 50 个面包；后来物价上涨了，100 元只能买到 30 个面包，但那时候黄金对货币而言也出现了升值，一克黄金一样能买到 50 个面包。所以在物价上涨、货币贬值时，人们会选择储备一些黄金，保持现有资产的购买力。

普通家庭需要储备黄金吗？

对普通家庭来说，黄金确实是一种避险资产，能够抵御通货膨胀，也就是物价上涨。但是要考虑两个问题。

一是金条、金砖可不可以直接买东西？如果不能，那依然需要把黄金兑换成现金使用，但兑换过程中需要手续费、中介费，这也是一笔不小的费用。除非是在通货膨胀特别严重的情况下，不然黄金短期内的保值作用并没有那么明显。

二是如果把黄金作为理财产品，那么黄金和证券、票据类理财产品等相比是否合算？事实是，黄金在对冲通货膨胀上表现得相当差。自 1980 年以来，剔除通货膨胀后黄金的投资回报是 -0.4%，同期美股的投资回报是 7.9%，美债的投资回报是 6.2%。持有股票、基金二三十年，投资回报大概率会比黄金高。为什么？因为股

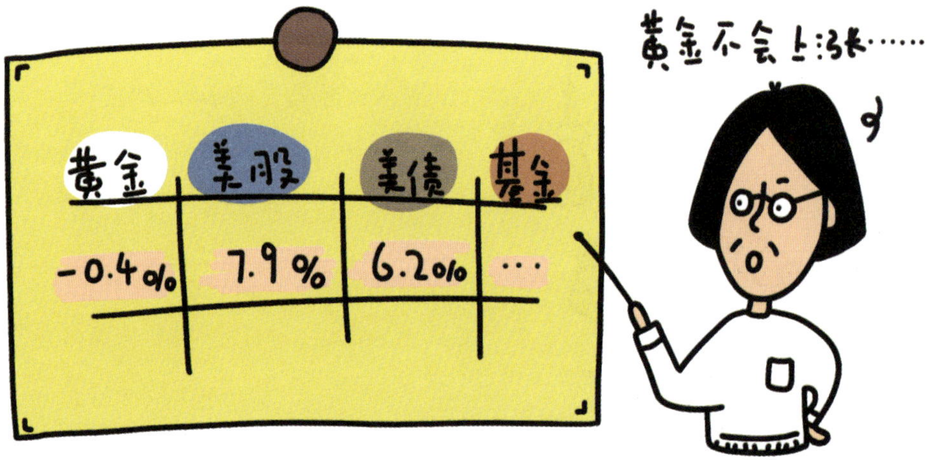

票价格会跟着通货膨胀一起上涨，而黄金因其稳定性的属性，则不会上涨。

经济学随堂笔记

购买投资类产品时，要结合当下的社会环境去分析，总体来说，需要冷静思考，谨慎选择。

小思考？

除了黄金之外，你还知道哪些东西可以作为避险资产？

为什么人民币要发行新版货币？

2019 年 8 月 30 日，中国人民银行正式发行 2019 年版第五套人民币，有 50 元、20 元、10 元、1 元纸币和 1 元、5 角、1 角硬币。

现在都不用现金了啊，为什么还要耗时耗力地发行新版纸币呢？

发行一套新版人民币可不像重新印刷一套海报那么简单，设计、雕版、印刷、发行，还有点钞机和 ATM 机等金融设备对新钞的辨认升级，都特别复杂。所以，除非是到了非换不可的时候，央行是不会轻易发行新版人民币的。

到底在什么情况下，人民币才非换不可呢？

防伪

第一个非换不可的理由就是防伪。我们都知道假币对市场的危害性。当假币的制造技术升级，普通人也很难辨认时，政府就会考虑发行新版纸币。更新纸币，可以更有效地打击假币，维护良好的市场环境。

那么，为什么 2019 版新币中没有 100 元和 5 元的新币呢？这是因为 100 元的纸币已经在 2015 年更新了；5 元的纸币则是在 2020 年 11 月 5 日发行的。

图案更新

第二个理由是票面图案过时了。其实，每一版人民币的票面图案都会有所不同。第一套人民币发行于 1948 年，图案有收割、驮运、锯木、浇田等场景。中华人民共和国刚成立时百废待兴，大家看到这些图案联想到的是热火朝天建设新中国的场景。但是，这样的图案随着社会的发展很容易过时，所以人民币的图案一直在持续更新。但第五套人民币的基础设计已经有了很强的延续性，所以这次更新并没有强调画面的变化。

印刷工艺进步

第三个理由是印刷工艺的进步。人民币每一次的更新体现了印刷工艺的不断进步，但第五套人民币的印刷工艺没有很大的改变，此次更新主要还是防伪需求。

活字版印刷术发明者毕昇

面额不符合需求

第四个理由是面额不符合使用需求。例如，以前还有 2 元和 2 角的纸币，后来因为流通量太低，在更新中就被去除了；再以前还有 3 元的纸币，流通量更低；20 世纪 80 年代初，人民币最大的面值是 10 元，但使用起来和实际的消费需求渐渐不匹配，于是有了 50 元和 100 元面值的纸币。

虽然现在有人也认为 100 元面值已经偏小，希望发行 500 元、1000 元的大钞。但是，大额现钞用于小额交易时不方便找零，并且遇到假钞时损失更大，再加上移动支付已经成为公众的习惯，所以新版人民币并没有发行面值更大的纸币。

经济学随堂笔记

人民币更新最重要的、也是与大家息息相关的原因就是防伪。正常情况下，新旧两版人民币都会有很长时间的共同流通时期，银行也可以兑换。如今，许多人热衷于收藏老版本的人民币。物以稀为贵，尤其是当人民币的流通价值消失后，收藏价值可能就提高了。如果老版本的人民币品相好，在邮币市场上还能卖出比面值更高的价格呢！大家不妨保存一些旧版的人民币留作纪念！

小思考？

你家里有旧版的人民币吗？看看它们和新版的人民币有什么区别？

摆摊真的能挣大钱吗？

我靠摆摊赚了一辆奔驰！
我靠摆摊买了 3 套房！
我摆摊给人缝补衣服，一年 365 天，一天都不休息，年入上百万元！
100万
摆摊，真的能轻松赚大钱吗？
煎饼
5元1个

选择职业的基础

你想过以后要在哪个行业工作吗？或者说，你想选择什么职业呢？如果你想成为一名科学家，那你想过要进行哪个领域的研究吗？你能够接受一份职业的工作方式并承受它带来的压力吗？一份工作能给你想要的生活提供保障吗……

其实，找一份能让你保持热情又感到舒心的工作并不容易，所以在选择职业时需要考虑以下几点。

摆摊是一个收入并不稳定的职业

摆摊，是一个古代就有的职业，也是历朝历代人们维持生活的最基本的手段。因为这种商业形式不用租房，大部分情况下也不用开发票，也就不用纳税，同时还相对灵活，比如自产自销或者低买高卖。对摆摊的人来说，也可以解决生计问题，毕竟找工作不是一件容易的事情。

但摆摊也是一门极不稳定的职业。地摊的优势就是商品便宜，但地摊对地理位置的要求非常高。因此，摆摊本身就存在极大的不稳定性。

理性看待不同的职业

人们摆摊的主要目的是维持生计，并不是什么商业机遇。摆摊到底能不能赚钱？能赚多少钱？平均水准怎么样？古往今来早就有了答案。

一个人摆摊赚得多，不代表所有人摆摊都赚得多，就像我们不能看到有一家电商企业赚钱了，就认为所有电商企业都发财了；看到梅西是足球先生，就说所有阿根廷人都会踢足球。

不能因为短时间内某种职业被人追捧而不对它长远发展的潜力进行评估。我们应该做的是，提高自己的能力、开阔视野，理性客观地看待社会上这些形形色色的“职业热潮”。

桃园结义

经济学随堂笔记

摆摊只是一种劳有所得、自力更生的工作方式，赚的也是辛苦钱，而不是什么获取财富的罕见机遇。虽然工作的目的大都是为了赚钱，但千万不要盲目从众，觉得什么热门、什么赚钱就去做什么。毕竟除了工资之外，还要考虑这个行业的持久度、自己是否适合做这份工作等其他因素。

小思考？

你是选择一份能赚很多钱但是很辛苦的工作，还是一份很轻松但是赚钱不多的工作呢？可以说说你的想法和原因。

个人破产后，真的就不用再还钱了吗？

2019 年，中国出现了首例个人破产案。当事人是一家破产企业的股东，要承担连带债务责任，加起来有 200 多万元。但法院发现，这位股东长期身患重病，需支付巨额医疗费用，家庭长期入不敷出，而且他从企业获得的收益并不高，怎么看都没办法还清债务。于是，法院做了个人破产的判决，把他现有的财产做了一个清算，按照他的收入进行一次性偿还，大概 3 万多元。在未来 6 年内，如果他的家庭年收入超过 12 万元，超出部分的一半再用于还债。简单说，就是这位股东不用考虑 200 多万元的债务了，能还多少就还多少，法律保障了他的生活权益。

个人破产

从商业角度来看，破产未必是一件坏事。准确地说，破产意味着清零。如果你还有资产，那些资产当然就被清算了；但如果你还有债务，那债务也就清零了。如果你欠了很多债，这辈子都还不清，法院认定你破产反而是件好事，你可以在生活得到基本保障的基础上，逐月偿还你的债务。企业破产意味着企业放弃了资产，也清理了债务；个人破产也一样，放弃了当下的资产，也清理了当下的债务。所以，一些债台高筑的个人，巴不得让法院认定他破产。

个人破产制度的历史

个人破产制度的历史相当悠久，远在古罗马时期，就有通过宣布破产，牺牲未来部分自由来免除债务的做法。在中世纪，意大利和英国把这种做法变成了一种制度，美国则在 1978 年把“消费者破产”列入了《美国破产法》。中国其实还没有通过个人破产法，在最新的案例中，法院根据其他法规推导出了一个类似于个人破产的判决结果。即便是在国外，对个人破产的判决也是一把双刃剑：不允许破产，可能会出现暴力催收，欠债的人四处躲债，甚至有些人因此走上绝路，这肯定不是一个好的结局；但要是太轻易地判断一个人破产，有些人就有可能会事先恶意借贷。

个人破产制度的社会意义

对借款方来说，个人破产制度可以让你减少债务，但为了避免滥用，会有各种约束和严格的条件，才能让你成功破产；对出借方来说，它是一个提示：如果你通过诱导、强迫的方式把钱借给无力偿还的人，原本你采取的方法可能是找借钱的人的亲戚朋友要钱，甚至是

用威胁恐吓的方法逼迫借钱的人还钱，但现在借钱的人可以通过宣布个人破产减免债务，合法“少还”。所以，个人破产制度会让借钱的人和出借的人都更加谨慎。

对借款人来说，是否能申请个人破产，取决于财务困境的“源头”——财产是怎么没的？是花天酒地挥霍了，还是天灾或者际遇不好导致的？法院会仔细调查申请者有没有赖账的主观故意。如果有，申请个人破产就会相当困难。因此，只要信用体系足够完善，那些恶意欠债者就无法实现破产，破产就更容易保护那些“窘迫而诚实”的人。

个人破产之后的限制

就算个人破产申请通过，申请人债务被减免，可以从零开始，但是申请人还是会受到许多限制。例如，在未来很长的一段时间内，甚至可能是半辈子，申请人都要被限制高消费，想坐飞机的商务舱或高铁的一等座？不行。想换个空调？打报告。想要注册公司当老板？流程更复杂。想贷款买房子？不行。钱挣得多了

一点儿，就要用于偿还债务。所以，一个人宣布个人破产之后，回归正常生活没问题，但“破产”两个字会一直跟随着他，长期限制他的消费自由。这种限制会让很多人不敢轻易宣布破产。

不管是银行等借贷机构，还是个人，如果有一个评估标准，一个大家都认可的征信体系来预判对方是不是会赖账的人，并且这个体系很完善，那么借贷方遇到恶意欠款的概率就会低很多。例如，有没有按时缴纳水电费、有没有车、有没有房、工作稳定不稳定、有没有按时还信用卡……这些都是影响信用等级的。但如果你知道对方还不起钱，还非要借给他，那自己也要承担一定责任。

经济学随堂笔记

只有让图谋不轨的人借不到钱，提高宣布个人破产的代价，个人破产制度才能成为保护双方权益的一种处理方式。建立个人破产制度是为了避免有人走绝路，允许他们有基本生存的空间，并能够通过自己的努力重新开始生活。但不管怎么说，它都不能成为一个赖账的工具。

小思考？

你觉得个人破产制度存在哪些缺陷？

怎么看待同工不同酬？

有一件事常常让人想不通。做的工作明明都一样，为什么工资不一样？
这是社会分配的不公平，是同工不同酬。
有可能实现同工同酬吗？

同工同酬的“同酬”，是工资一样的意思吗？

在生活中，很多人把“同工同酬”简单地理解为在做同样的工作，工资应该一样，但事实上，发放工资的标准比人们想的严格得多。

根据法律规定，同工同酬指用人单位对于从事相同工作，付出等量劳动且取得相同劳动成绩的劳动者，应支付同等的劳动报酬。

由此可以看出，要同工同酬，必须满足 3 个条件：劳动者的工作岗位和工作内容相同、完成了与别人相同的劳动工作量，并取得了相同的工作业绩。只有 3 个条件同时满足了，才可以算同工，才能要求同酬。

但大家仔细想一想，这件事情发生的概率并没有我们想象中那么大：对同一个岗位而言，即使工作岗位完全相同，工作内容也未必相同；即使工作内容相同，由于劳动者工作能力、工作年限、所掌握的技能、学历、职称等不尽相同，同工也可能不同酬。

所以，同工同酬并不是指做同样工作，收入完全一样，而是劳动报酬的分配方法一样，就是企业都使用一致的工资分配制度。在同一个车间里，不会出现你拧一个螺钉一毛钱，他拧一个螺钉两毛钱的现象。只要考核标准是一致的，就不违反同工同酬原则。

所以，“同酬”讲的不是工资一样，而是发放工资多少的标准一样。

同工同酬的“同工”，是工作一样的意思吗?

很多人认为只要是同样的工作，标准就应该一致。其实薪酬标准在 A 公司和 B 公司，在甲地和乙地，是可以不一致的，这种不一致受许多因素的影响。

相似度非常高的工作，在一线城市和三线城市的薪酬完全不同，这一薪酬标准受到企业成本、当地消费水平等多种因素的影响，这也使得两地相同的工作薪酬可能存在巨大差异。

但如果某家企业为了打败竞争对手，吸引人才，在短时间内提升自己

的薪酬标准，这也会导致同一工种在这家企业和其他企业出现“不同酬”的情况。

所以，“同工”有一个重要前提：不仅要“做同样的工作”，还必须在同一区域的同一个公司里。

同工不同酬的自我调整力

同工不同酬听上去好像是一件让人烦恼的事情。但事实上，同工不同酬的情况会自动调整，从而慢慢地接近同工同酬。

我们假设同一个城市两家互为竞争的企业出现了“同工不同酬”的现象。A 企业的薪酬标准明显高于 B 企业。这会导致什么结果呢？

如果 B 企业想留住员工，就可能会把自己的薪酬标准调整到和 A 企业的相近水平；A 企业发现用工成本太高，而且优秀的人才基本都挖完了，也会让薪酬标准向 B 企业靠拢。最后，两家企业的标准还是会越来越接近。

假设同一个公司，两个员工工作内容一模一样，因为老板的偏见出现了薪酬不一样的现象，又会导致什么结果呢？

薪酬较低的员工往往会进行主动调整：比如偷偷降低自己的工作效率以匹配自己的薪酬，或者跳槽到薪酬更高的企业。最后的结果是企业之间由于竞争的压力，也会主动把薪酬标准调整得更为公平。

哪里存在同工不同酬现象，哪里就会存在员工流失现象，企业为了更好地生存和发展，一定要主动消除这种不稳定性。

如果一份同样的工作，工资必须一样会发生什么？

如果不同的企业，同样工作的工资一样，那企业之间人才的流动就会大大减少，因为员工在跳槽后，如果岗位不发生变化，就不太可能获得更高的收入。人才流动越难，新的企业、公司就越难聘请到人才，要发展就越困难。新公司、新企业越少，社会的活力自然就越低。

如果在同一家企业，同类工作的工资一样，也会出现有意思的情况：同样是获得这份收入，有人觉得非常轻松，有人却非常辛苦，这背后就是能力的差异。两个人能力一样、工作量一样的情况，在实际工作中存在的概率微乎其微，哪怕在同一

标准体系下，能力不同的人也会自然形成分层：觉得工作轻松的员工，会向着更高的目标进发，以获得更高的收入；觉得工作辛苦的员工，需要调低自己的预期，以找到更合适的定位。最后，双方都会出现在更适合自己的薪酬体系里。作为老板，也不会觉得工资给多了或者给少了，无论工作能力强弱，都可以做到人有所值。

因此，只要老板不存在偏见，只要企业成熟，同工不同酬的情况会逐渐趋向平衡，接近同工同酬。

经济学随堂笔记

同工同酬实际上是某一个地域的同一个公司里一致的标准；不同地方、不同公司的同一工种有收入差异是正常现象；与其制订一个统一薪酬，让工作能力不同的人都去适应，还不如让不同能力的人都寻找到适合自己的薪酬体系。

小思考

当你长大步入社会后，你觉得在什么情况下，可以接受同工不同酬呢？

钱会越来越"不值钱"吗？

我们手里的钱，好像一直在贬值。

是啊，门口的煎饼果子，几年前只要3元一个，后来涨到了6元，现在涨到了8元。

哎呀，这就是通货膨胀。

膨胀

我觉得这是因为国家一直在印钱，所以我们的钱一直在贬值，购买力也不断下降。

像委内瑞拉、津巴布韦这样的国家，就因为随意发行货币，导致货币面值非常大但根本买不了什么东西。就连本国的居民，都不愿意用本国货币，而更愿意用美元。

USA

我们需要担心这样的问题吗？通货膨胀真的很可怕吗？我们的钱的购买力真的在持续下降吗？

物价真的在不断上涨吗？

物价在上涨吗？确实在上涨。有没有上涨得很夸张的东西？有，例如房子。30 年前，很少有人为买一套房子借债几百万元，但现在很大一部分人是贷款买房。

是不是所有商品的价格都在上涨？也不一定。随着科技的发展，有些以前很贵的商品，现在不但功能更强大，价格也比以前低了很多。走进了千家万户。例如，电脑在 20 年前不但体积大、运行速度慢，而且价格也相当昂贵。

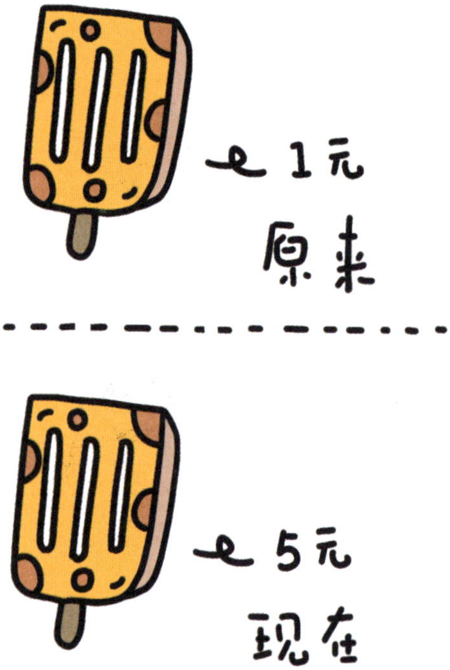

是不是商品价格上涨的幅度已经大于我们收入增长的幅度了？这个问题其实没有统一的答案。但总体来说，人们收入的增长能够覆盖家庭日常开支的涨幅。例如，原来一根冰棍卖一元，但那时候人们的月薪也只有两三百元。如今一根冰棍卖 5 元，但人们的月薪涨到了六七千元。所以，物价虽然上涨了，但人们手里的钱的购买力并没有降低。

只不过人们一般不抱怨物价低，当然也不可能抱怨收入增加了，更直接的感受就是“东西比原来贵了”。所以，除了少数领域，物价上涨并没有大家想象的那么严重。

钱放在抽屉里会贬值吗？

客观地说，会的。实际上，我们一直在经历“适度的通货膨胀”。大多数商品的物价水平每年都会上涨一点儿，大家的收入也会上涨一点儿。

一些经济学家认为，如果每年的物价上涨率在 2.5% 以下，就是适度的通货膨胀，而适度的通货膨胀可以刺激经济增长，让整个社会更有活力。

钱贬值的原因

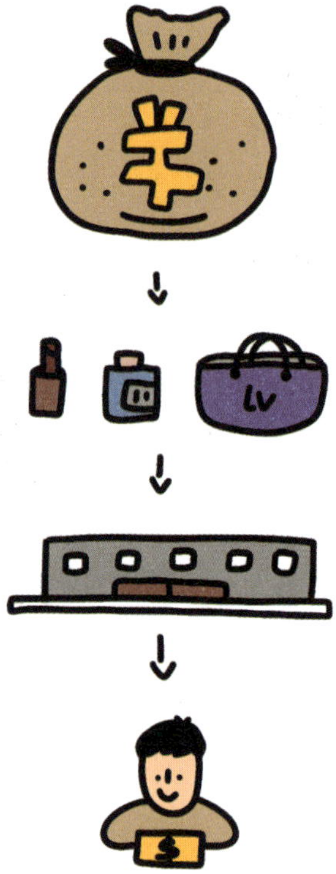

首先，从消费者的角度来看，通货膨胀一定会引起货币的贬值，原来 100 元能买到的商品，可能过一段时间后就要 105 元了。所以，大家就不愿意把钱留在手里，除了进行投资理财之外，就会用于消费。

其次，从企业的角度来看，如果人们的消费水平提高了，企业就会扩大生产规模，这样利润也会增加，也能提供更多的工作岗位，进行更多的研发，员工的工资也会相应提高；工资高了，人们手中的钱就更多了，会再进行消费，形成良性循环。

如果没有适度的通货膨胀，人们的消费意愿就不会那么强烈，市场的活力也会打一些折扣。

从整体上看，适度的通货膨胀对国家的经济发展起到了促进作用。但如果通货膨胀率太高，比如大于 5%，甚至达到 10%，起的就不是促进作用，而是严重的阻碍作用了。因为发行货币过多，物价涨幅过快，大家的积蓄快速贬值，就算这个月的工资上涨了，但总的购买力还是下降了。事实上，如果通货膨胀率太高，大家

会比以前更穷，很多东西都买不起了，而企业的生产自然也会受到影响。

而如果货币持续贬值，那大家自然会做出一个选择：花掉它。因为如果不及时花完，手里的钱就会越来越“不值钱”。怎么办呢？寻找各种各样的替代品。例如，把本国货币换成其他国家的货币、换成黄金等。如果没有人愿意用某个国家发行的货币，那这个国家也就无法掌控自己的经济。

许多成熟国家的策略是让每个人手里的钱每年都变得“有一点儿不值钱”，从而让人们更愿意消费。但又不会让人们不敢存钱——只要不是直接把现金锁在抽屉里，哪怕只是选择定期存款，也能冲抵通货膨胀带来的一部分贬值风险。这才是我们生活中“钱不值钱”的真相。

经济学随堂笔记

过度的通货膨胀对经济是有害的，因为物价上涨会使消费者购买力下降、需求减少，企业的生产能力降低，经济陷入停滞；适度的通货膨胀会刺激生产与消费，拉动经济发展。目前，我们生活中经历的通货膨胀基本都在适度的范围内，而且市场上也有相应的理财产品能帮我们抵销一部分风险。如果你只是把现金锁在抽屉里，那钱确实会越来越贬值。绝大多数人并不需要因通货膨胀而焦虑。只要努力工作，提高收入就是最好的应对通货膨胀的方法。

小思考

你觉得这几年什么东西涨价最快？可以去做一个小调查！

数字人民币来了，现金会逐渐消失吗？

数字货币、数字化货币和虚拟货币的区别

数字货币、数字化货币和虚拟货币的概念的确会让人混淆，在现实生活中，人们在表达时也会混用，它们确实也有相同的地方。例如，这些“货币”都是一个数字，都通过手机或者电脑软件使用，都能够实现交易和商品兑换……但它们还是有差别的。

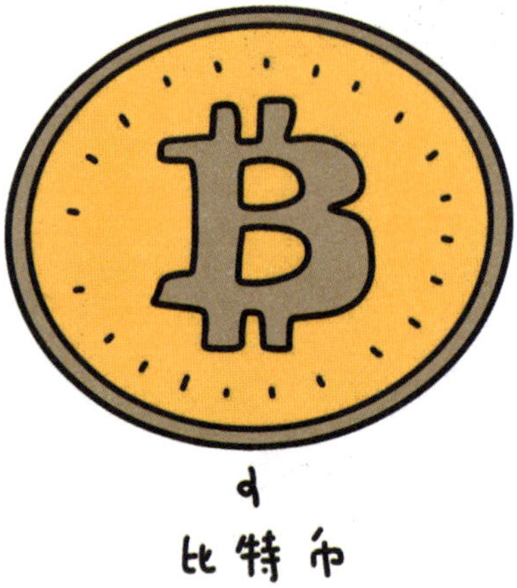

数字货币

数字货币在国际上来说，是一个比较宽泛的概念，广义上说，任何“非实物”货币都可以叫数字货币，即包含了数字化货币。不管是基于加密算法的比特币，还是我们微信钱包里存着的零钱，都属于数字货币。但从狭义上说，在中国我们所说的数字货币，常常是指央行，也就是中国人民银行发行的数字人民币。

数字人民币的安全和国家信用直接挂钩，具有法定货币的地位。它要求所有人“必须接受”——也就是说，如果消费者要用数字人民币支付时，商家具备收取条件但不接受，那就违法了。例如，有的商家为图方便，要求顾客必须用支付宝支付，拒收现金，这种行为一经查实，就会受到相应处罚。因此，数字人民币拥有和纸币同等的地位。

数字化货币

数字化货币就是把我们原来习惯用的纸币以数字的形式呈现，如支付宝、微信支付等第三方支付工具里的钱。这些第三方支付工具把货币数字化，极大地方便了人们的生活。之所以纸币越来越少，也是因为这些第三方支付工具的出现。我们所看到的这个代表货币、可以使用的数字，实际上就是我们在各大商业银行里的存款、在各种基金公司购买的理财产品、在各大券商购买的股票。这个数字真正的发行主体是各大商业银行，比如工商银行、建设银行等。

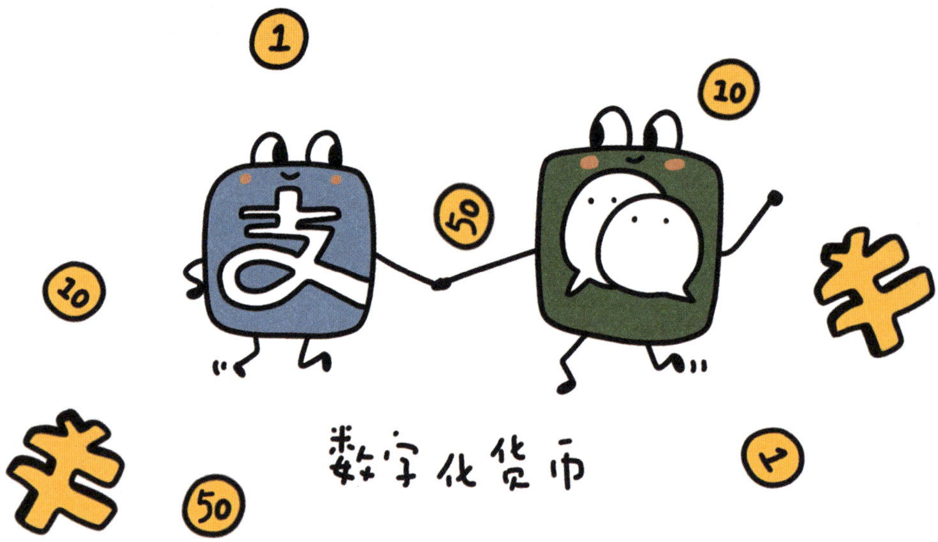

从理论上说，商业银行也值得信任，但其信用相比国家还是要弱不少，实际上商业银行也存在着破产或者经营不善的可能。如果出现这种情况，你的财产就需要靠存款保险制度或者维权诉讼来保障。而且，在使用第三方支付工具支付时，商家是可以拒绝的。例如，你去一家商店买东西，店主说本店不接受微信支付，这是店主的正当权利。

虚拟货币

排除明显具有欺诈色彩的虚拟货币，我们生活中绝大多数的虚拟货币实际上本身就是一件消费品，作用类似于充值卡。它用于交易的范围也非常有限，非但不具有法定货币的效力，流通性也不好。

数字人民币怎么赚、怎么花？

在中国，有一些城市已经开展了数字人民币试点。这就像是网络游戏的“内测”，让部分玩家试试看这个游戏好不好玩，有没有问题，怎么改进。

从使用方式看，数字人民币的应用软件和大家熟知的第三方支付工具比较类似，有余额，有扫一扫，有二维码，但同时具备了一个新功能：双离线支付。

如果交易双方都使用数字人民币，通过蓝牙、NFC 等方式，即使没有网络，也能实现双离线转账交易。

可能有些人会问，“数字人民币来了，我是赚人民币好，还是赚数字人民币好呢？”——其实，这并不是一个需要思考的问题。我们的收入可以转入银行卡，可以转入支付宝，也可以是纸币。而银行卡里的钱可以取出来，变成纸币。当数字人民币正式开始进入流通领域，那么我们的收入就可以是数字人民币，直接转入我们的数字人民币账户，也可以存入第三方支付工具里，也可以取出来，转化成纸币。

数字人民币在决策层面的作用

从用户的感受而言，数字人民币的功能相对比较清晰，它需要用手机下载应用软件后才能使用。但数字人民币的官方性质意味着只有政府才有权利追踪钱的去向，它的最大功能是给国家政策提供一手的数据支撑——哪个领域消费需求大，哪个方面支出不合理……原本这些数据都需要商业银行整理，而数字人民币会让所有数据直达央行，从而让经济决策的调整更迅速。而洗钱、逃税等违法犯罪行为也更容易在数字人民币平台被发现。

不过，纸币也不会消失，有不少人到现在依然不习惯使用手机支付，我们也要允许有人不使用手机。纸币依然是法定的支付方式之一。只不过，纸币的使用率确实越来越少。

经济学随堂笔记

数字人民币是法定货币，在使用层面“必须被接受”，否则就是违规。数字人民币的发行机构是中国人民银行，代表国家信用，并且支持无网络支付；现有的手机支付属于第三方支付工具，收付双方都可以选择“不接受这种交易方式”，并且在支付过程中需要网络支持。

对公众而言，数字人民币和现有的手机支付不会有太大差异，但会更有利于央行掌握一手的经济数据，从而更精准地制定各项政策。

小思考 B

你能描绘一下数字人民币的前景吗？如果全面使用数字人民币是对资源的节约吗？

股市里的散户团结起来，能主导股市的走向吗？

2021 年初，一只叫“游戏驿站”的股票在美股市场掀起了巨大的风浪。由于美股没有涨跌停限制，这只股票在短短几天内，从十几美元一路疯涨，最高突破了 400 美元，成了一只大牛股；随后又在短短几天里一路狂跌，恢复原状。大量投资者经历了一夜暴富，又经历了一夜梦碎。

发行这只股票的公司，并没有亮眼的市场表现。作为线下门店，它的业绩受经济形势影响甚至有所下滑。面对这种大起大落的情况，美国的证券管理部门也乱了方寸，在股票疯涨时，一度不允许购买这只股票。投资者只能卖，不能买。

这次波动被认为是散户和财团的竞争，但散户真的有能力主导股市吗？

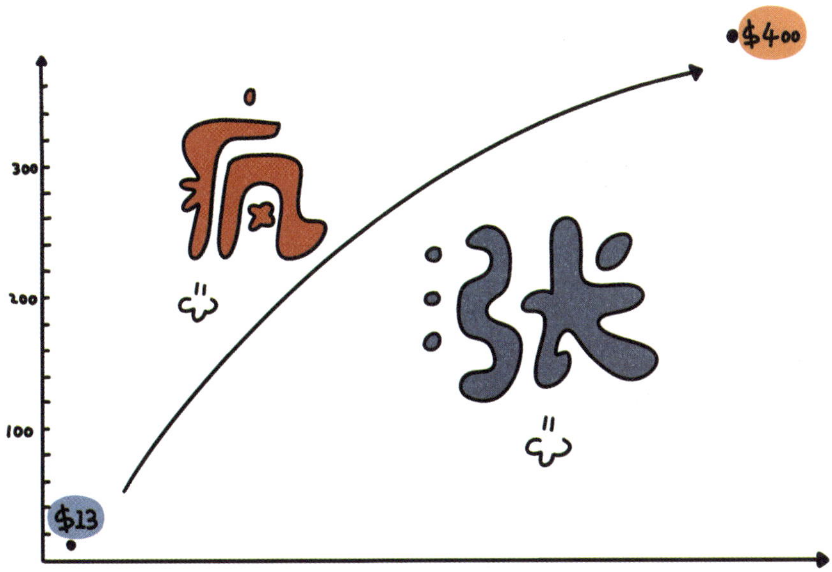

2021年“游戏驿站”股价

大户和散户

单单从字面意思我们也能猜出大户和散户的定义。在交易市场上，它们是和投资额密切相关的概念。资金越“大”，对股价和公司的影响自然也越大。大户往往是机构、财团，能主导市场的走向，是有影响力的少数人；散户可能是平民百姓，买入卖出股票很难造成股价的波动，是影响力很小的多数人。

由于大资金的动向会影响市场，所以在股市中大户往往具有优势地位。大户一买，股价就会上涨，散户就会跟着买入；大户一卖，股价就会下跌，散户就会赶紧卖出股票，但散户的资金对股价的影响实在太小了。所以，除了一部分“事先埋伏，恰好迎来大户进入”的幸运儿外，散户常常处于“大户吃肉我喝汤”的境地。

按照常理，面对大财团或者基金公司做出的股价会下跌的判断，持有股票的人会倾向于卖出，而正在进行做空操作的大资金能通过股价下跌获得收益。

在“游戏驿站”这个事件中，散户们开始倡议不卖股票，并且要买入股票。这个倡议得到了大家的响应，散户拧成一股绳，以极其狂热的态度凑成了一笔“大资金”，成功地推高了“游戏驿站”的股价，导致做空的机构损失惨重。

为了弥补损失，做空的机构只能挪出一部分资金做对冲，即跟着买入股票，以期减少损失，而这也使得股价进一步上涨。

而散户们看到股票上涨，心情更加激动，继续买入股票，导致股价继续飙升……

于是短短几天，这只名不见经传的股票就翻了10倍，有人更是抵押了自己的房产去购买股票。美国监管部门连续“踩刹车”，通过在短时间内不允许股民买入，让股民在股票交易软件中搜索不到这只股票等方式，来迫使投资者无法购入股票，从而让股价只能下跌，无法上涨，以杜绝新的投资者继续这场“无限追高的游戏”。这些稍显“野蛮”的举措很快收到了效果：“游戏驿站”的股价一路下跌，甚至回到了“出发点”。

散户能那么团结吗？

从理论上来说，股价之所以能出现，是因为股票在这个价格发生了交易。如果只有人买，没有人卖，股票就会处于无交易的状态，就无法显示股价。只有当有人愿意以某个价格卖出股票，而恰好这个价格有人买时，股价才会出现。一只股票如果买的人远远多于卖的人，它的价格必然会上涨。

在股市里的赚钱实际上是在锁定盈利后发生的，这也就意味着，只有把手中的股票卖掉，才能知道这次投资是赚是赔。

如果卖出股票的投资者变多了，那就意味着更多的人愿意以更低的价格卖出股票，股价就会开始下跌。于是，更多的投资者也会跟着选择卖出，以保住现在的盈利，最终股价一路下跌，有人开始亏损，但仍然打算卖出……最终能获得收益的只有最早一批把股票卖掉的人，其他用户曾经拥有的财富，最终只是南柯一梦。

散户之所以团结，是因为他们手中持有某家公司的股票，希望有更多的资金进入，从而推动股价的上涨，便于他们在高价时卖出。当资金不再新增、第一批人开始选择退出时，昔日的团结就会土崩瓦解，大家就会争相卖出股票。

经济学随堂笔记

有人觉得只要所有散户团结起来，就可以变成能主导市场的“超级大户”，但事实是，要实现这样的团结非常困难，散户很难在操作上长期保持一致，即便偶尔影响市场，营造了热闹的场景，也很难像大机构一样，产生长期深远的影响。

小思考

“游戏驿站”股票事件，确实在一定程度上阻碍了散户的财富梦想，你觉得这是监管部门对大户的偏爱吗？

做空怎么操作？

当股市波动很大时，有些人为了避免在股市里的资产缩水，就会通过做空来挣钱。

那什么是做空呢？具体要怎么操作呢？

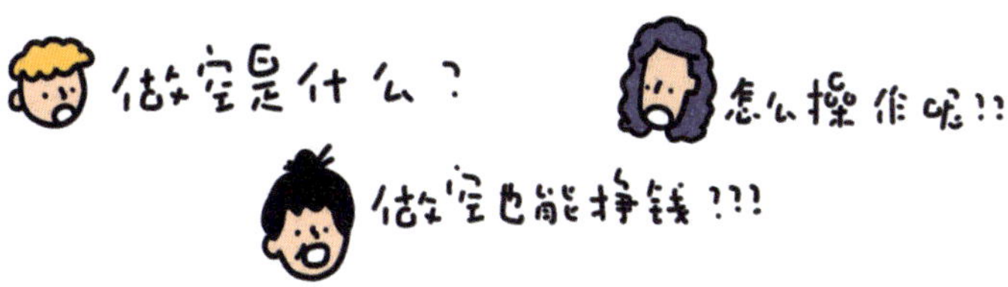

什么是做空?

大家对做空这个词可能比较陌生。即使是那些炒股的人，如果没开通融券、没做过期货，也不太懂做空。因为国内的股市没有太好的做空渠道，大家只是购买股票，然后等股价上涨再抛掉，通过中间的差价来获取收益。这个操作模式叫做多，也就是说，先低价买进股票，等它涨价之后再高价卖出，就能挣钱。

做多的反义词就是做空，英文叫作“short sale”，用大家都听得懂的话来说就是买跌: 先高价卖出股票，再低价买进。

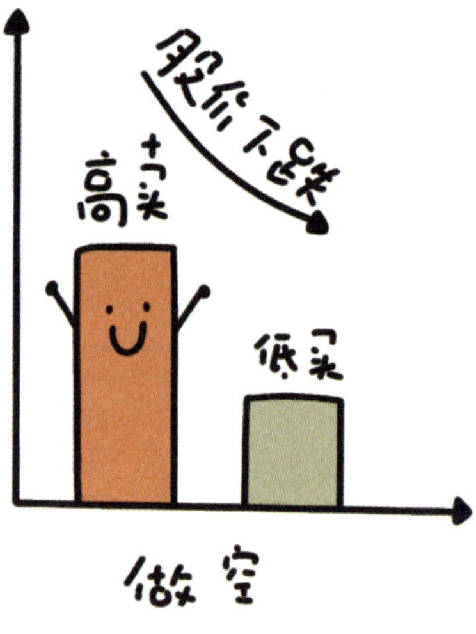

但是，手上没有股票的时候，拿什么卖呢?

可以向证券市场借股票。例如，现在有一只股票的价格是10元，我向证券市场借到股票后，立即以10元卖出；然后等到这只股票跌到8元的时候我再买了还给市场。这一来一去，我不就挣了两元钱吗?

做空的操作方式

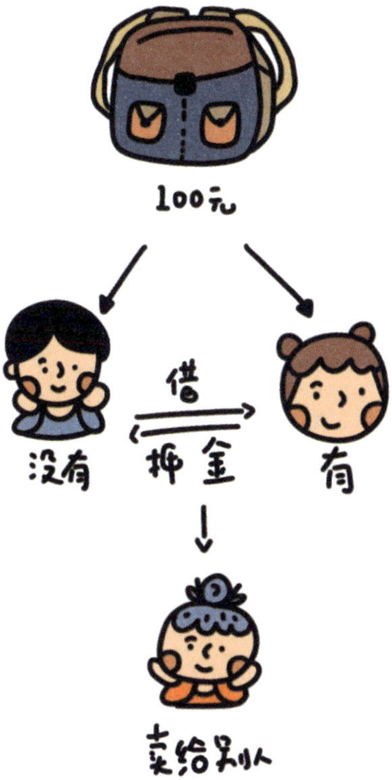

一款书包（可以看作股票）现在的市场价格是 100 元，你预判一个月后这款书包的市场价格会跌到 50 元。

但是，你没有这款书包（股票），刚好你的朋友小王（券商）有这款书包。于是，你就给了小王 100 元（保证金）作为抵押，成功借到了这款书包，并立刻以 100 元的价格卖给了别人。

一个月之后，这款书包果然跌到了 50 元。你用 50 元把这款书包再买回来还给小王，并且给了他 5 元（股票利息）作为感谢。小王也如约把 100 元保证金还给了你。这样，你就拿回了 100 元保证金，并且多赚了 45 元，这就是做空赚钱的方式。

做空的风险

做空的确能赚钱。但相比做多，做空对投资者的要求更高。因为做空涉及的盈亏金额总体超过做多（即购买后等上涨），因此券商或者对应的机构会要求投资者提供更多的押金，也会进行更严格的风险

承受能力调查。因此，有些市场，比如国内的A股，就对散户做空进行了限制。

在做多的时候，股价的下跌总是有尽头的——股票价格不断下跌，直到0元，股票就退市了，这就是我们说的血本无归。

但如果做空，股价的上涨理论上是没有终点的，每股一元涨到100元会停止上涨吗？未必。说不定每股还能涨到1000元呢。请问，这个时候，做空的股民拿什么还给资本市场？

经济学随堂笔记

做空能赚钱。但是做空有风险，操作需谨慎。

小思考？

你知道有哪些国家禁止做空吗？

商业社会是建立在人与人之间信任的基础上吗？

从人际信任到规则信任

在商业社会里，值得信任是一个人非常珍贵的品质，但如何判断一个人是否值得信任又非常困难。

我们从“信”这个字本身来看。最初的“信”字，是指人讲话要诚实，言语真实。在传统观念里，诺言只需要用嘴说出来就行，这就是非常纯粹的人际信任。但随着时代的发展，人们发现，这样的信任显然是不够的，空口白话是很难产生约束力的。

渐渐地，信任开始从人际信任向规则信任过渡。人与人之间之所以能相互信任，并不是因为一方说的话有多好听，长得有多像好人，而是双方都信任同一个

规则。比如法律法规、行业规范等。例如，我可以不相信你说的话，但我相信你在合约上签下的字。如果你违反了合约里的条款，就会受到条款约定的惩罚。双方约定的规则中对失信的约束，让人与人之间产生信任的基础不再是某一种感觉，而是双方都认可的规则。

从熟人信任到陌生人信任

尽管规则信任更有保障，但在很长的一段时间里，甚至今天在一些较小的城镇，人与人之间依然处于人际信任的阶段，而且身在其中的人们也觉得没必要采取规则信任的方式。

究其原因，主要是在这些稍微偏远的小城镇，交通不方便，陌生人较少，这些地方的大部分人在大部分时间里，生活在熟人社会，不管去菜场买菜遇到的小商贩，还是要盖房子找来的泥瓦匠，都是熟悉的人。忘记带钱可以赊账；发现买的菜变质了，也不用担心卖菜的商贩第二天不见了，因为大家彼此都认识，甚至是邻居。在这样的环境下，个人的口碑就成了熟人社会维系信任的重要标准。这时候如果使用“规则信任”，不让对方赊账，反而会造成很尴尬的局面，带来一些不必要的麻烦。

但随着通信和交通的发展，原有的“熟人社会”正在消失：进城打工、下海经商、网购……我们进行商业活动时，遇到陌生人的可能性很大，就算是熟人，熟悉的程度也或许并不高。这时候要求人们在没有规则约束的情况下彼此信任，显然有着非常大的风险。这时，就必须建立起规则信任关系。

规则信任

所谓的规则信任，是指交易双方产生信任的基础并不是双方对彼此的了解，而是大家共同认可的一个规则。就算双方从未见面，也可以彼此信任。规则信任的产生，一般需要两个条件。

一是对失信者的惩罚。

收到款不发货、以次充好、缺斤短两等违约行为，不仅会受到工商部门的查处，如果情节严重还可能承担刑事责任。

二是规则本身不偏向任何一方。

> 淘宝网诞生之初，网民对网上购物充满了怀疑。买家总是担心买到假货，卖家担心发出去货收不到款，于是诞生了支付宝。买家先把钱给支付宝，然后买家收到货，满意之后支付宝再把钱打给卖家。就这样一个小小的变化，解决了买卖双方不信任的问题。由于解决了信任问题，网购一下子就成了人们购物的重要方式。

随着现代社会的发展，人员流动的增加，人们更容易在商业活动中遇到陌生人。比如大多数人并不了解自己购物的店的店主的背景：店主住在哪里，叫什么名字，家里有多少人……所以，在现代商业社会里，大家共同信任一个规则，往往比通过熟悉一个人，然后再产生信任，更有效率。

经济学随堂笔记

从人际信任转变到规则信任是商业社会的必然趋势。但这种趋势客观上挤压了人际信任，有时候我们也会觉得有些规则不近人情，但遵守规则会促进人与人之间的信任。口头的承诺虽然好听，但空口无凭，只要有人通过违反它得到了好处，并且不受惩罚，那一定会有更多的人效仿。

小思考

你会通过什么来判断一个人是否值得信任？